GARFIELD

très drôle

PAR JIM DAVIS

Publié par **Presses Aventure**, une division de
Les Publications Modus Vivendi
3859, autoroute des Laurentides
Laval (Québec) H7L 3H7
Canada

Dépot légal: 3e trimestre 2001
Bibliothèque nationale du Québec
Bibliothèque nationale du Canada
Bibliothèque nationale de France

Données de catalogage avant publication (Canada)
Davis, Jim
Garfield très drôle
Bandes dessinées.
Traduction de: Garfield loses his feet.
ISBN 2-89543-028-4

JIM DAVIS

GARFIELD très drôle

TRADUIT DE L'AMÉRICAIN PAR
LAURETTE THERRIEN

VAS-Y, LUNDI! FAIS TON SALE BOULOT! LE SUSPENSE ME TUE!
JIM DAVIS
3-21

THOCK
© 1983 United Feature Syndicate, Inc.

MERCI POUR TON EMPRESSEMENT

EST-CE QUE JE VOUS AI DÉJÀ PARLÉ DE MON ONCLE NICK? IL ADORE DÉTRUIRE LES CHOSES. IL VOUS LACÈRE UN FAUTEUIL EN 12 SECONDES...
3-22
JIM DAVIS

IL MASSACRE LES FOUGÈRES À LA TONNE ET VOUS RÉDUIT LA PORCELAINE EN POUDRE EN UN CLIN D'ŒIL

IL TRAVAILLE ACTUELLEMENT POUR LE SERVICE DES POSTES DE CHICAGO
© 1983 United Feature Syndicate, Inc.

JIM DAVIS 3·23

BEL ESSAI, GARFIELD, MAIS TU NE M'AURAS PAS AVEC TON STUPIDE DÉGUISEMENT DE PASTÈQUE
© 1983 United Feature Syndicate, Inc.

RATA TATTA TATTA TATA

JIM DAVIS
3·24

NE TE MOQUE PAS D'ODIE, GARFIELD. CE N'EST PAS GENTIL
© 1983 United Feature Syndicate, Inc.

ET ÇA ENCORE MOINS

VIENS ET ATTRAPE, GARFIELD
GARFIELD
3-25
JIM DAVIS

CRASH!
GARFIELD
© 1983 United Feature Syndicate, Inc.

TU N'ES PAS UN PLANEUR, TU SAIS
OH, LA FERME
GARFIELD

C'EST L'HEURE DU GOÛTER!
JIM DAVIS
GARFIELD
3-26

À L'ATTAQUE
GARFIELD
© 1983 United Feature Syndicate, Inc.

N'OUVREZ PAS CETTE PORTE!
OH, OH, QU'EST-CE QUE C'EST?

N'OUVREZ PAS CETTE PORTE!
UNE INVITATION À OUVRIR SI J'AI BIEN COMPRIS
© 1983 United Feature Syndicate, Inc.

N'OUVREZ PAS CETTE PORTE!
ÉVIDEMMENT, CE POURRAIT ÊTRE UNE MAUVAISE IDÉE D'OUVRIR
JIM DAVIS
3-27

N'OUVREZ PAS CETTE PORTE!
MAIS ÇA NE M'A JAMAIS ARRÊTÉ AVANT. JE JETTE À PEINE UN COUP D'ŒIL

LA CURIOSITÉ A ESTROPIÉ LE CHAT

PUNT
3-28

CE LUNDI SEMBLE PLUTÔT SYMPATHIQUE POUR FAIRE CHANGEMENT
© 1983 United Feature Syndicate, Inc.
JIM DAVIS

POOMP!

GOBE GOBE GOBE
GARFIELD
JIM DAVIS
3-29

GARFIELD, TU MANGES TROP VITE
PAS DU TOUT
GARFIELD
© 1983 United Feature Syndicate, Inc.

C'EST QUE JE SUIS TROP COMPÉTENT POUR LE JOB
GARFIELD

GARFIELD NE POURRA JAMAIS ATTEINDRE CETTE TARTE
JIM DAVIS 3·30
© 1983 United Feature Syndicate, Inc.

CHINK

ET OÙ VAS-TU COMME ÇA?
À MA PESÉE MATINALE

ARRRRGH!
JIM DAVIS
3-31

QUEL HORRIBLE CAUCHEMAR! J'AI RÊVÉ QUE J'ÉTAIS UN CHIEN

DIEU MERCI C'ÉTAIT SEULEMENT UN RÊVE
GRATTE GRATTE GRATTE
© 1983 United Feature Syndicate, Inc.

SUFFIT LES PLEURNICHERIES DE FILLETTE
JIM DAVIS
4-1

JE DESCENDS DE CET ARBRE COMME UN HOMME
© 1983 United Feature Syndicate, Inc.

D'UN AUTRE CÔTÉ, PLEURNICHER PRÉSENTE CERTAINS ATTRAITS

IL FAUT QUE JE DESCENDE DE CET ARBRE
JIM DAVIS
4-2

BON, BON, ON DIT QUE LES CHATS RETOMBENT TOUJOURS SUR LEURS PATTES

ON OMET TOUTEFOIS DE MENTIONNER LA DOULEUR
© 1983 United Feature Syndicate, Inc.

JIM DAVIS
4-3

© 1983 United Feature Syndicate, Inc.

FAUDRA CASSER LA CROÛTE ENSEMBLE UN DE CES JOURS
LES APPARENCES SONT PARFOIS TROMPEUSES

HÉ, GARFIELD, SI ON PARTAIT EN VACANCES
JIM DAVIS
4-4

ALLONS DANS UN PAYS TROPICAL

MÉNAGE TES SOUS. VA T'ASSEOIR DANS TON AQUARIUM
© 1983 United Feature Syndicate, Inc.

LES VACANCES VONT ÊTRE EXTRA, GARFIELD
JIM DAVIS
4-5

ON VA FUIR CE TOURBILLON DE FOUS; FINI LES EMMERDEMENTS

ÇA POURRAIT ÊTRE BIEN DE CHANGER DE RYTHME
© 1983 United Feature Syndicate, Inc.

HÉ, GARFIELD, QUE PENSES-TU DE CETTE CHEMISE POUR LES VACANCES?
JIM DAVIS
4-6

VOILÀ!
AFFREUX

SAIS-TU COMBIEN DE PAUVRES TYPES ONT LAISSÉ LEUR PEAU POUR FAIRE CETTE CHEMISE?
© 1983 United Feature Syndicate, Inc.

BONNE NOUVELLE, GARFIELD! LES ENFANTS BÉNÉFICIENT D'UN SIÈGE GRATUIT À BORD DE L'AVION
ALORS?
© 1983 United Feature Syndicate, Inc.
JIM DAVIS 4-7

ALORS QUAND NOUS PARTONS EN VACANCES, TU TE FAIS PASSER POUR MON FILS ET TU MONTES À L'AVANT
JE NE M'ABAISSERAI JAMAIS JUSQU'À ME DÉGUISER EN ENFANT STUPIDE

AUTREMENT, TU DEVRAS PASSER TOUT LE VOL DANS UNE CAGE DANS LA SOUTE À BAGAGES
PAPA!

J'ESPÈRE QUE L'AVION NE T'INCOMMODE PAS, GARFIELD
JIM DAVIS 4-8

CERTAINS ANIMAUX ONT HORREUR DE VOYAGER
ABSURDE
© 1983 United Feature Syndicate, Inc.

SI UN CHIEN A ÉTÉ UN AS VOLTIGEUR LORS DE LA PREMIÈRE GUERRE MONDIALE, JE PEUX CERTAINEMENT PRENDRE UN VOL COMMERCIAL

MAIS SOUVIENS-TOI TOUJOURS, GARFIELD, MÊME SI NOUS PARTONS EN VACANCES...
JIM DAVIS

ET MÊME SI NOUS NOUS AMUSONS COMME DES FOUS
4-9

C'EST TOUJOURS BON DE REVENIR CHEZ SOI
© 1983 United Feature Syndicate, Inc.

JE CROIS QUE TU VAS ADORER VOLER
J'AIMERAIS ÇA SI JE POUVAIS GARDER UNE PATTE SUR TERRE

OOOOOH, JE CROIS QUE J'AI LE MAL DE L'AIR

QU'EST-CE QUE C'EST? J'AI CRU ENTENDRE UNE AILE SE DÉTACHER!
© 1983 United Feature Syndicate, Inc.

ÇA SENT LA FUMÉE!
SNIFF SNIFF

L'AVION FLAMBE ET PIQUE DU NEZ!

ON N'A PAS ENCORE DÉCOLLÉ, GARFIELD
PARFAIT! LES CHATS ET LES ENFANTS D'ABORD
JIM DAVIS 4-10

DIS-MOI, GARFIELD
JIM DAVIS 4-11
© 1983 United Feature Syndicate, Inc.

EST-CE QUE L'AVION TE REND NERVEUX?

JE NE PRENDS AUCUN RISQUE

JE PENSE QUE TU VAS AIMER VOLER, GARFIELD

C'EST UNE FAÇON TRÈS CONFORTABLE ET AGRÉABLE DE VOYAGER
JIM DAVIS 4-12

ALORS POURQUOI CES PETITS SACS? POUR LA CUEILLETTE DES ŒUFS DE PÂQUES?
© 1983 United Feature Syndicate, Inc.

PAS D'ANIMAUX
C'EST MON FILS. IL A UN PROBLÈME DE PILOSITÉ
© 1983 United Feature Syndicate, Inc.

JIM DAVIS
QUEL ÂGE AS-TU FISTON?
ROAR
4-13

C'EST LE LANGAGE D'UN BAMBIN QUI N'A PAS ENCORE DEUX ANS

JIM DAVIS 4-14
CRUNCH CRUNCH

QUE PENSES-TU DES REPAS DES COMPAGNIES AÉRIENNES, GARFIELD?
GULP

LE SEUL PROBLÈME, C'EST LA FOURCHETTE DE PLASTIQUE QUE JE VIENS D'AVALER
© 1983 United Feature Syndicate, Inc.

JIM DAVIS 4-15

LE CAPITAINE DEMANDE D'OBÉIR AU SIGNAL RECOMMANDANT « D'ATTACHER VOS CEINTURES » AU CAS OÙ L'AVION ENTRERAIT DANS UNE ZONE DE TURBULENCE
© 1983 United Feature Syndicate, Inc.

ALORS, GARFIELD, COMMENT AS-TU TROUVÉ TON PREMIER VOYAGE EN AVION?
À PART LES NAUSÉES, LES CRAMPES ET LES MAUX D'ESTOMAC, ÇA VA

BONNE JOURNÉE
BONNE JOURNÉE?!

JIM DAVIS 4-16
ÉPARGNE-LÀ, GARFIELD! ÉPARGNE-LÀ
© 1983 United Feature Syndicate, Inc.

POUR LA VRAIE DÉTENTE, DIFFICILE DE BATTRE LES TROPIQUES
OH, VA T'ASSEOIR SUR UN OURSIN

TU DEVRAIS ALLER SURFER UN PEU, GARFIELD
PEUT-ÊTRE L'ANNÉE PROCHAINE
© 1983 United Feature Syndicate, Inc.
IL Y A DU POISSON TU SAIS
POURQUOI TU NE L'AS PAS DIT AVANT?!

HA HA HA
JIM DAVIS

CHAT ORDINAIRE, PLAISIRS ORDINAIRES
4-17

SAIS-TU CE QUE J'AIME DES TROPIQUES, GARFIELD?
NON, MAIS JE SENS QUE JE VAIS LE SAVOIR
JIM DAVIS
4-18

LES KILOMÈTRES DE PLAGE DE SABLE BLANC

C'EST PEUT-ÊTRE UNE PLAGE POUR TOI, MAIS POUR MOI, CE N'EST JAMAIS QU'UNE LITIÈRE
© 1983 United Feature Syndicate, Inc.

IL Y A UNE CHOSE QUE J'AIME DANS LES TROPIQUES
GRRRR
JIM DAVIS
4-19

FLIP!

LES CHIENS MINUSCULES
© 1983 United Feature Syndicate, Inc.

TU N'AS PAS L'AIR DE T'AMUSER, GARFIELD
PERSPICACE
4·20

ET C'EST QUOI LE PROBLÈME?
JE T'EXPLIQUE
JIM DAVIS
© 1983 United Feature Syndicate, Inc.

TROUVE LE PLUS ÉPAIS MANTEAU DE FOURRURE POSSIBLE ET PORTE-LE. ENSUITE, ÉTENDS-TOI AU SOLEIL CUISANT PENDANT QUELQUES HEURES, TU NE TE SENTIRAS PLUS DE JOIE!

DIS, PETITE VAHINÉ, QUE FAIS-TU? JE PARIE QUE TU TE PROMÈNES SUR LA PLAGE À LONGUEUR DE JOUR, POUR RENTRER DANS TA PETITE HUTTE DE CHAUME LE SOIR VENU, C'EST ÇA?

JE SUIS PROGRAMMEUSE INFORMATIQUE À CLEVELAND

J'Y ÉTAIS PRESQUE. ON PEUT SE REVOIR?
IL N'A MÊME PAS SOURCILLÉ
© 1983 United Feature Syndicate, Inc.
JIM DAVIS 4-21

C'EST LA VRAIE VIE, N'EST-CE PAS GARFIELD?
PLUS DE PLAISIR QU'UN CHAT N'EN DEMANDE
JIM DAVIS
4-22

RIEN D'AUTRE À FAIRE QUE DE RESTER ÉTENDU AU SOLEIL
EN ÉCOUTANT BOUILLIR TON CERVEAU

EST-CE QUE TU T'ENNUIES, GARFIELD?
EST-CE QU'IL Y A DU SABLE DANS TON MAILLOT DE BAIN?
© 1983 United Feature Syndicate, Inc.

JE SAIS QUE TU VAS ÊTRE DÉÇU, GARFIELD...
JIM DAVIS
4-23

PARCE QUE JE SAIS QUE TU T'ES FOLLEMENT AMUSÉ

MAIS C'EST LE TEMPS DE PENSER À FAIRE LES BAGAGES

RIEN COMME UN BAIN DE MOUSSE POUR TE DÉLESTER DE TOUT CE QUI T'OPPRIME, GARFIELD
POP
JIM DAVIS
4-24

POP
POP
© 1983 United Feature Syndicate, Inc.

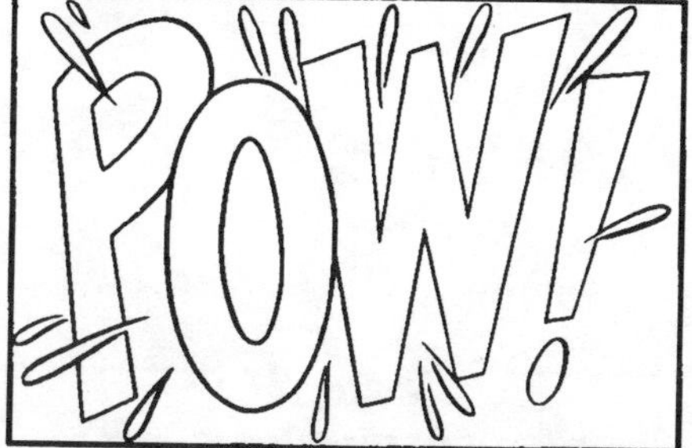
POW!

HÉ, JON, QU'EST-CE QUI VOUS ARRIVE?
VOUS NE LE CROIRIEZ PAS SI JE VOUS LE DISAIS

Cher Garfield, quel est ton film préféré entre tous?
4·25
JIM DAVIS

C'EST « VIEUX GRINCHEUX »
© 1983 United Feature Syndicate, Inc.

J'AIME LES FILMS QUI FINISSENT BIEN

JIM DAVIS
4·26

© 1983 United Feature Syndicate, Inc.

ET QU'ES-TU EN TRAIN DE FAIRE?
J'AFFERMIS MA FÉLINITÉ

GARFIELD, POURQUOI LES CHATS AIMENT-ILS SORTIR LA NUIT?
4-27
JIM DAVIS

C'EST PARCE QUE NOUS AIMONS CHANTER SUR LES CLÔTURES

EN PLEIN JOUR, NOUS SERIONS DES CIBLES FACILES
© 1983 United Feature Syndicate, Inc.

AUJOURD'HUI JEUDI, JOUR DE LASAGNE
JIM DAVIS
4-28

VOICI TA PÂTÉE, GARFIELD. CE SERA TOUT?
GARFIELD

PERMETS QUE JE TE RAFRAÎCHISSE LA MÉMOIRE
© 1983 United Feature Syndicate, Inc.

POURQUOI AS-TU DE SI GRANDES DENTS, GARFIELD?
GARFIELD
JIM DAVIS
4-29

C'EST POUR MIEUX TE MANGER, MON ENFANT
GARFIELD

ARRÊTE ÇA!
MANIFESTEMENT, MONSIEUR, VOUS NE CONNAISSEZ PAS VOS CLASSIQUES
GARFIELD
© 1983 United Feature Syndicate, Inc.

J'AI VU UN FILM AFFREUX HIER SOIR: « CHIEN EXTRATERRESTRE ». C'ÉTAIT L'HISTOIRE D'UN ÉNORME CLÉBARD QUI A TERRORISÉ LA TERRE
JIM DAVIS
4-30

ILS LUI ONT TOUT DE MÊME RÉGLÉ SON CAS GRÂCE À UN BRILLANT STRATAGÈME

ILS ONT ÉLECTRISÉ UNE BOUCHE D'INCENDIE À 12 GICLEURS
© 1983 United Feature Syndicate, Inc.

VOYONS LES CHOSES DANS LEUR ENSEMBLE

MANGER EST IMPORTANT
JIM DAVIS
5-1

ET DORMIR EST IMPORTANT
© 1983 United Feature Syndicate, Inc.

MAIS RIEN N'EST PLUS IMPORTANT QUE D'ENLACER QUELQU'UN QU'ON AIME

REGARDEZ BIEN

LA RÉCIPROQUE EST AUSSI VRAIE

TU ES TROP GROS, GARFIELD
N'INSISTE PAS
JIM DAVIS
5-2

OH, LA FERME, ODIE

POURQUOI AI-JE L'IMPRESSION QU'ILS SE LIGUENT CONTRE MOI?
© 1983 United Feature Syndicate, Inc.

♪
GARFIELD
JIM DAVIS
5-3

ARRRGH!
GARFIELD

LA SEMAINE DU RÉGIME
C'EST LA SEMAINE DU RÉGIME
GARFI
© 1983 United Feature Syndicate, Inc.

JIM DAVIS
5-4

IL FAUT QUE JE CESSE CE RÉGIME

ÇA COMMENCE À M'ATTAQUER LE CERVEAU
© 1983 United Feature Syndicate, Inc.

JIM DAVIS

5-5
© 1983 United Feature Syndicate, Inc.

LÂCHE MA MAIN, GARFIELD
TU LÂCHES LE HAMBURGER, JE LÂCHE TA MAIN

SUICIDE, EXERCICE PHYSIQUE ET RÉGIME
JIM DAVIS
5-6

DÉCHIRE!

NOMMEZ TROIS FORMES D'AUTODESTRUCTION
EXACT... TOUT À FAIT EXACT
© 1983 United Feature Syndicate, Inc.

JIM DAVIS
5-7

© 1983 United Feature Syndicate, Inc.

OH, NON! MA MONTRE S'ÉTAIT ARRÊTÉE
J'AI RATÉ L'HEURE DU REPAS DE GARFIELD

LES ANIMAUX ONT UNE MANIÈRE DE VOUS LE LAISSER SAVOIR LORSQUE VOUS AVEZ OUBLIÉ LEUR GOÛTER

JE SAIS, JE SAIS
TU ES EN RETARD
JIM DAVIS
5-8
© 1983 United Feature Syndicate, Inc.

DIS-MOI, GARFIELD, LORSQUE TU MARCHES, EST-CE QUE TES JAMBES DROITE ET GAUCHE SE MEUVENT ENSEMBLE, OU TE SERS-TU DES JAMBES OPPOSÉES?
JIM DAVIS

© 1983 United Feature Syndicate, Inc.

JE NE MARCHERAI PLUS JAMAIS
5-9

Z
Z
Z
JE ME DEMANDE COMMENT LES OISEAUX PEUVENT DORMIR DANS LES ARBRES SANS TOMBER
JIM DAVIS
5-10

Z
Z
Z

Z
Z
Z
AHA!... DES HAMACS
© 1983 United Feature Syndicate, Inc.

C'EST LA SEULE MANIÈRE DE PASSER UN APRÈS-MIDI ENSOLEILLÉ

TOUT CE QU'IL VOUS FAUT, C'EST UNE PISCINE

ET BEAUCOUP D'IMAGINATION
© 1983 United Feature Syndicate, Inc.
JIM DAVIS
5-11

JE VAIS FAIRE UNE PETITE SAUCETTE, ALORS DÉGAGE L'OISEAU, AVANT QUE JE TE CASSE LE BEC
5-12
JIM DAVIS

AVEC MA GRANDE GUEULE, JE COURS À MA PERTE
© 1983 United Feature Syndicate, Inc.

SI TU VEUX MON AVIS, UN BAIN DE SOLEIL DANS LA PISCINE TE TIENT AU FRAIS
5-13
JIM DAVIS

JE VAIS ME RETOURNER POUR ME FAIRE BRONZER LE DOS

LE SYSTÈME N'EST PAS AU POINT
© 1983 United Feature Syndicate, Inc.

MÊME SI JE DÉTESTE ÇA...
5-14
JIM DAVIS

JE FERAIS MIEUX DE SORTIR D'ICI

MÊME MA FOURRURE EST EN TRAIN DE RATATINER
© 1983 United Feature Syndicate, Inc.

YABBA
YABBA
YABBA
JIM DAVIS

OUAH!
OUAH!
OUAH!
5-15

OUAH!
HIP!
OUAH!

DÉGAGEZ LES CHIENS.
LAISSEZ MON CHAT
TRANQUILLE

BBBBBBB

IL FALLAIT ABSOLUMENT QUE TU AIES
LE DERNIER MOT, HEIN, GARFIELD?
MOI ET MA
GRANDE LANGUE

HÉ, GARFIELD, DEVINE UN PEU! ON VA RENDRE VISITE À M'MAN ET P'PA À LA FERME CETTE SEMAINE
5-16
JIM DAVIS

ON VA SE RÉGALER DES BONS PETITS PLATS DE M'MAN ET ON VA AIDER P'PA À LA FERME

BONNE IDÉE, JON. ON VA SE TAPER DES KILOMÈTRES DE ROUTE POUR S'ENVOYER UNE TARTE AUX POMMES ET UNE HERNIE

TON FRÈRE DOC EST REVENU TRAVAILLER À LA FERME. IL EST ICI
JIM DAVIS
5-17

DOC BOY!
NE M'APPELLE PAS « DOC BOY »

JON BOY! M'MAN BOY! DOC BOY! COMMENT ÇA VA?
OH BOY

QU'EST-CE QUI T'AMÈNE À LA FERME, JON?
J'AI PROMIS À GARFIELD QU'IL MANGERAIT DES BONS PETITS PLATS MAISON
JIM DAVIS
5-18

ET QU'EST-CE QUE VOUS VOULEZ POUR PETIT-DÉJEUNER LES GARS?

JE CROIS QUE GARFIELD AIMERAIT DES ŒUFS ET DU JAMBON
© 1983 United Feature Syndicate, Inc.

JIM DAVIS
DOC, TU RESSEMBLES DE PLUS EN PLUS À P'PA

RETIRE TES PAROLES!

© 1983 United Feature Syndicate, Inc.
5-19
SMACK!
TAIS-TOI DONC
LE TRIO INFERNAL

TU SAIS, DOC, POUR DES FRÈRES, ON NE SE RESSEMBLE PAS TELLEMENT
JIM DAVIS 5-20
© 1983 United Feature Syndicate, Inc.

DIFFICILE DE CROIRE QUE NOUS VENONS DU MÊME ENDROIT

TU VEUX DIRE DE LA FERME?
LA FERME EN FOLIE, PEUT-ÊTRE

SOIS PRUDENT
À BIENTÔT
NE TE CHANGE PAS EN ÉTRANGER
JIM DAVIS

AU REVOIR
BYE BYE!
SALUT
ADIEU

C'EST FOU TOUS CES ADIEUX AVANT D'ALLER AU LIT
VOUS ÊTES TRÈS PROCHES DANS TA FAMILLE
5-21

BIZARRE... DEUX PETITES MOUCHES HABILLÉES POUR JOUER DU SHAKESPEARE

ROMÉO, ROMÉO, OÙ DONC ES-TU PASSÉ, ROMÉO?
JE SUIS LÀ, JULIETTE

MAUVAISES NOUVELLES, MA PETITE JULIETTE; NOS FAMILLES SE QUERELLENT ET NE VEULENT PLUS QUE NOUS NOUS VOYIONS
OH, NON!

TANT PIS! NOUS MOURRONS DANS LES BRAS L'UN DE L'AUTRE ET SERONS ENSEMBLE POUR L'ÉTERNITÉ
ET COMMENT FERONS-NOUS?
JIM DAVIS
5-22

COMME ÇA
SQUASH

JE NE BADINE PAS AVEC LA GRANDE LITTÉRATURE
© 1983 United Feature Syndicate, Inc.

VOICI ARLÈNE, ELLE EST FOLLE DE MOI
JIM DAVIS
5-23

ALLÔ, ARLÈNE
ALLÔ, BOZO
© 1983 United Feature Syndicate, Inc.

JE SUIS SÛR QU'ELLE VOULAIT DIRE « BEAU MEC »

ALLONS CHASSER LES SOURIS
T'AIME PAS LA LASAGNE?
JIM DAVIS
5-24

IL N'Y A PAS DE POURSUITE ENIVRANTE

ON VOIT BIEN QUE TU N'EN AS JAMAIS VOLÉ UNE SUR UNE TABLE PAR UN SOIR D'AFFLUENCE
© 1983 United Feature Syndicate, Inc.

POURQUOI LES FILLES SENTENT-ELLES AUSSI BON, ARLÈNE?
5-25
© 1983 United Feature Syndicate, Inc.

NOUS NOUS PARFUMONS
JIM DAVIS

DES HISTOIRES DE FILLES, OUAIS
CE QU'IL FAUT PAS ENTENDRE D'UN SEXE QUI AIME SE FAIRE TATOUER

À QUOI LA LUNE TE FAIT-ELLE PENSER, GARFIELD?
5-26

LA LUNE ME FAIT PENSER À LA NUIT, QUI ME FAIT PENSER AU SOMMEIL, QUI ME FAIT PENSER AU PETIT-DÉJEUNER...
JIM DAVIS

CE N'EST PAS CE QUE J'AVAIS EN TÊTE
ET APRÈS LE PETIT-DÉJEUNER, C'EST L'HEURE DE MA SIESTE...
© 1983 United Feature Syndicate, Inc.

JE T'EMMÈNE DANS UN GRAND RESTAURANT CE SOIR, ARLÈNE
JIM DAVIS
5-27

BONK BONK
REGARDE, ACIER GALVANISÉ. PAS UN DE CES ENDROITS EN PLASTIQUE MINABLE

EH BIEN J'AURAI TOUT VU... UNE POUBELLE TROIS ÉTOILES
© 1983 United Feature Syndicate, Inc.

AU REVOIR, ARLÈNE
C'EST LA COUTUME, CHEZ LES HUMAINS, DE BAISER LA MAIN DES DAMES
JIM DAVIS
5-28

TU N'EST PAS HUMAINE ET CE N'EST PAS UNE MAIN. C'EST UNE PATTE POILUE
© 1983 United Feature Syndicate, Inc.

HUILE ET EAU, NITRO ET GLYCÉRINE, CHEVALERIE ET RÉALISME

J'AI LÀ UNE NOUVELLE PLANTE VERTE, GARFIELD
MIAM-MIAM

ET JE NE VEUX PAS QUE TU Y TOUCHES, D'ACCORD?
D'ACCORD

POUR COMMENCER, JE CROIS QUE JE MANGERAI SES TENDRES PETITES FEUILLES, ENSUITE JE ME CURERAI LES DENTS AVEC SES TIGES, ET ENFIN, JE LUI ENLÈVERAI CE QUI LUI RESTE DE VIE

PRÉPARE-TOI À MOURIR!
5-29

COMMENT ÉTAIT MON CACTUS, GARFIELD?
PRÉPARE-TOI À MOURIR
© 1983 United Feature Syndicate, Inc.
JIM DAVIS

JE VAIS MANGER DANS UN CHARMANT PETIT RESTO CE SOIR, GARFIELD. ALORS SOIS SAGE PENDANT MON ABSENCE
JIM DAVIS
5-30

ET, NON, TU NE PEUX PAS M'ACCOMPAGNER
© 1983 United Feature Syndicate, Inc.

QUI A DIT QUE JE VOULAIS ALLER DANS TON MINABLE PETIT RESTO?

JON SORT SANS NOUS CE SOIR, ODIE
JIM DAVIS
5-31

ALORS TU SAIS CE QUE TU AS À FAIRE

TU MANGES SES PANTOUFLES PENDANT QUE JE DÉTRUIS SON FAUTEUIL
© 1983 United Feature Syndicate, Inc.

GARFIELD! REGARDE CE QUE TU AS FAIT À MON FAUTEUIL!
JIM DAVIS

JE NE MÉRITE PAS ÇA!

© 1983 United Feature Syndicate, Inc.
JE ME SUIS ABSENTÉ SEULEMENT POUR LA SOIRÉE
ÇA Y EST... JE ME RAPPELLE CE VISAGE. AURIEZ-VOUS DÉJÀ ÉTÉ MON PROPRIÉTAIRE?
6-1

GARFIELD, JE SAIS QUE C'EST UNE GRANDE RESPONSABILITÉ D'ÊTRE PROPRIÉTAIRE DE CHAT
JIM DAVIS
© 1983 United Feature Syndicate, Inc.

MAIS JE DEVRAIS POUVOIR SORTIR UN SOIR SANS QUE TU DÉTRUISES TOUT!

JE VEUX DIVORCER!
JE VEUX LA MOITIÉ DE TOUT
6-2

JIM DAVIS
6-3

SQUIRT

OK! QUI A GRAISSÉ MA SAUCISSE?!
© 1983 United Feature Syndicate, Inc.

HÉ, GARFIELD, COMMENT TROUVES-TU LE NOUVEAU CHANDAIL À COL ROULÉ QUE M'MAN T'A CONFECTIONNÉ?
JIM DAVIS
6-4

TU AS RAISON

PAS TRÈS FLATTEUR, N'EST-CE PAS?
© 1983 United Feature Syndicate, Inc.

JE ME DEMANDE CE QUI ARRIVERAIT SI J'ÉPOUSAIS ARLÈNE

ON FERAIT UNE GROSSE NOCE...
ENSUITE ON ÉLÈVERAIT QUELQUES CHATONS

QUI GRIMPERAIENT SUR MOI

OUBLIEZ ÇA! JE SERAIS UN MAUVAIS PÈRE
JIM DAVIS 6-5
© 1983 United Feature Syndicate, Inc.

GARFIELD, IL EST MIDI, VAS-TU SORTIR DU LIT?
6-6
JIM DAVIS

J'AIMERAIS BIEN ME LEVER...

MAIS LA COUVERTURE EST ARCHILOURDE AUJOURD'HUI
© 1983 United Feature Syndicate, Inc.

JIM DAVIS
6-7

IMAGINE-TOI UN OS ÉNORME ET BIEN JUTEUX, ODIE

Z
GARFIELD
JIM DAVIS
6-8

Z
GARFIELD

Z
GARFIELD
© 1983 United Feature Syndicate, Inc.

GARFIELD, JE TE PRÉSENTE MON NOUVEL AMI « HERBIE »
JIM DAVIS
6-9

PAS MAL, NON?
OUAIS, BON VIEUX « HERBIE »

BON VIEUX « TES JOURS TE SONT COMPTÉS AUSSITÔT QUE JON TOURNERA LES TALONS, HERBIE »
© 1983 United Feature Syndicate, Inc.

JIM DAVIS
6-10

HÉ, GARFIELD, QUAND AS-TU VU MON AMI HERBIE POUR LA DERNIÈRE FOIS?

SNAK!
A L'HEURE DU LUNCH
© 1983 United Feature Syndicate, Inc.

IL ME SEMBLE QU'IL Y A UNE ÉTERNITÉ QUE JE N'AI PAS BOTTÉ ODIE
JIM DAVIS
6-11

BOTTE!

JE SUIS UN FOU SENTIMENTAL
© 1983 United Feature Syndicate, Inc.

HÉ, GARFIELD! AMUSONS-NOUS UN PEU!
OUBLIE ÇA, JON

JE VEUX T'EMMENER DANS UN RESTO ITALIEN POUR UNE BONNE LASAGNE
PAS QUESTION
JIM DAVIS
6-12

ILS SERVENT DES FOUGÈRES POUR DESSERT
LA BELLE AFFAIRE

APRÈS, ON REVIENT À LA MAISON ET J'IMMOBILISE ODIE PENDANT QUE TU LE ROUES DE COUPS
ESSAIE DE M'ATTRAPER
© 1983 United Feature Syndicate, Inc.

COMMENT SAIS-TU QUE NOUS AVONS RENDEZ-VOUS CHEZ LE VET?
JE SAIS PAS, MAIS JE SAIS

DANS CETTE BOÎTE, J'AI UNE SOURIS QUI CHANTE ET QUI DANSE. J'AI MIS QUATRE ANS À L'ENTRAÎNER. ELLE VA MAINTENANT VOUS DIVERTIR
6-13
JIM DAVIS
© 1983 United Feature Syndicate, Inc.

JE CROIS QUE J'AURAIS DÛ PERCER DES TROUS D'AÉRATION...

DIFFICILE DE CROIRE QUE JE VAIS AVOIR CINQ ANS DIMANCHE
JIM DAVIS
6-14

MINCE ALORS, ÇA ALORS, ZUT ALORS, MERDE

IL VA FALLOIR QUE JE COMMENCE À FAIRE ATTENTION À MON LANGAGE
© 1983 United Feature Syndicate, Inc.

GARFIELD, J'ESPÈRE QUE LE SOLEIL BRILLERA POUR TON ANNIVERSAIRE
© 1983 United Feature Syndicate, Inc.

COMME C'EST GENTIL

JIM DAVIS 6-15
JE PARS CAMPER
J'AVAIS PAS BESOIN DE ÇA

JIM DAVIS
6-16

DAME NATURE A CERTES ÉTÉ GÉNÉREUSE ENVERS TOI, GARFIELD

J'AIMERAIS BIEN POUVOIR EN DIRE AUTANT DE PÈRE TEMPS-QUI-PASSE
© 1983 United Feature Syndicate, Inc.

ON DIT QUE L'OUÏE EST LA PREMIÈRE CHOSE QUE PERD UN CHAT
JIM DAVIS
6-17

OU SERAIT-CE LA VUE?
© 1983 United Feature Syndicate, Inc.

TON CADEAU D'ANNIVERSAIRE EST À L'INTÉRIEUR DE CETTE CARTE, GARFIELD
JIM DAVIS 6-18

UN DE CES JOURS, MA SIGNATURE VAUDRA UN TAS D'ARGENT

© 1983 United Feature Syndicate, Inc.

C'EST LA SURPRISE TOTALE. IL EST BEAUCOUP TROP TÔT POUR QUE GARFIELD SOIT RÉVEILLÉ
JIM DAVIS
6-19

IL A UN AN DE PLUS AUJOURD'HUI, TU SAIS

SURPRISE!

© 1983 United Feature Syndicate, Inc.

ET IL EST PLUS SOURNOIS

OUAH!
JIM DAVIS
6-20

FUMP!

L'HOMME AMIBE FRAPPE ENCORE
© 1983 United Feature Syndicate, Inc.

L'HOMME AMIBE PART À LA RECHERCHE DE NOURRITURE
JIM DAVIS
6-21
© 1983 United Feature Syndicate, Inc.

BONK!

L'HOMME AMIBE DEVRAIT PEUT-ÊTRE PERCER DES TROUS POUR LES YEUX DANS SON EXOSQUELETTE

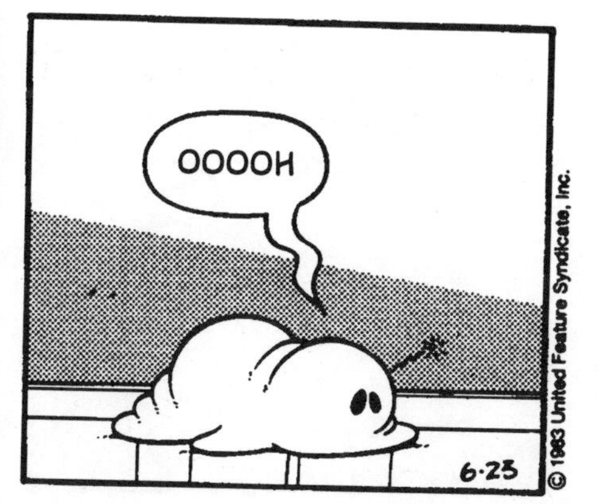

© 1983 United Feature Syndicate, Inc.

L'HOMME AMIBE S'ARRÊTE POUR S'ADMIRER DANS LE MIROIR
JIM DAVIS
6-24

ADMETS CECI L'AMI. TU ES UN BEAU SPÉCIMEN DE PROTOPLASME
© 1983 United Feature Syndicate, Inc.

JIM DAVIS
6-25

L'HOMME AMIBE TOMBE AMOUREUX

SI JE PEUX ME PERMETTRE, VOUS AVEZ UN MAGNIFIQUE PSEUDOPODE, MA CHÈRE
© 1983 United Feature Syndicate, Inc.

ON PEUT EN DIRE LONG SUR UNE FAMILLE À PARTIR DE SES DÉCHETS
JIM DAVIS

ILS ONT UN ENFANT QUI N'EST PLUS UN BÉBÉ

LE PÈRE A RÉCEMMENT CESSÉ LE GOLF
6-26

ET LA MAMAN CUISINE BEAUCOUP DE PÂTES

© 1983 United Feature Syndicate, Inc.

ADOPTEZ-MOI!

GARFIELD, JE SAIS QUE TU ES DANS MA FOUGÈRE. JE VOIS TA QUEUE
JIM DAVIS
6-27

QU'AS-TU À DIRE POUR TA DÉFENSE?
© 1983 United Feature Syndicate, Inc.

DR LIVINGSTONE, JE PRÉSUME

PAS SI VITE, CHAMPION
GARFIELD
JIM DAVIS

PAS SI VITE, EN EFFET
GARFIELD
6-28

JON NE RÉALISE PAS COMBIEN JE DOIS MANGER POUR GARDER LA LIGNE
GARFIELD
© 1983 United Feature Syndicate, Inc.

OUAH!
OUAH!
OUAH!
BISCUITS
6-29

GARFIELD, SORS DE LA BOÎTE À BISCUITS
BISCUITS
JIM DAVIS

WHANG!
BISCUITS
© 1983 United Feature Syndicate, Inc.

BISCUITS
JIM DAVIS
6-30

BISCUITS

BISCUIT
© 1983 United Feature Syndicate, Inc.

GARFIELD! TU AS MANGÉ MES BISCUITS AUX RAISINS!
BISCUITS
JIM DAVIS
7-1

JE CROYAIS QUE TU N'AIMAIS PAS LES RAISINS
BISCUITS

EXACT
BISCUITS
© 1983 United Feature Syndicate, Inc.

PSCHTT! PSCHTT! VA-T'EN! JE NE T'AIME PAS
JIM DAVIS
7-2

SLURP!

JE DÉTESTE L'AMOUR AVEUGLE
© 1983 United Feature Syndicate, Inc.

ES-TU PRÊT, ESPÈCE DE MAUVIETTE POILUE?
QUAND TU VEUX, POULE MOUILLÉE

UNNNGH
RRRR
JIM DAVIS
7-3

ET SI ON DÉCLARAIT MATCH NUL, GARFIELD?
JE TE LAISSE ALLER CETTE FOIS-CI

À LA PROCHAINE, GARFIELD
AU REVOIR, JON

BRAS, PARLE-MOI!
JE NE ME SERVIRAI PLUS DE CE BRAS POUR LE RESTE DE MES JOURS
© 1983 United Feature Syndicate, Inc.

GARFIELD, JE SAIS QUE TU ES DANS MA FOUGÈRE. JE VOIS TA QUEUE
JIM DAVIS
7-4

QU'AS-TU À DIRE POUR TA DÉFENSE?
© 1983 United Feature Syndicate, Inc.

JE DIS QU'IL FAUT ATTAQUER LE FORT AU CRÉPUSCULE

JE ME DEMANDE CE QUE C'EST
JIM DAVIS
7-5

AH, UN ATTRAPE-NIGAUD
© 1983 United Feature Syndicate, Inc.

JIM DAVIS

7-6

© 1983 United Feature Syndicate, Inc.

JIM DAVIS
7-7
© 1983 United Feature Syndicate, Inc.

C'EST TOUT À FAIT ÇA...

ODIE EST SI STUPIDE QU'IL NE COMPREND MÊME PAS LA LOI DE LA GRAVITÉ

JIM DAVIS
ON DIT QUE LES HAMACS SONT TRÈS RELAXANTS
© 1983 United Feature Syndicate, Inc.

LA BELLE AFFAIRE!
7-8

JIM DAVIS
7-9

© 1983 United Feature Syndicate, Inc.

JE SAIS QUE J'AI DÉTRUIT UN VASE MING HORS DE PRIX, POUR PROTESTER OUVERTEMENT ET EXPRIMER MON PROFOND MÉPRIS POUR LES DOCTRINES POLITIQUES OPPRESSIVES DE L'ADMINISTRATION MING AU DÉBUT DU 17E SIÈCLE

JIM DAVIS 7-10

JE POURRAIS CERTES ME SERVIR DU DÉODORANT DE JON
JIM DAVIS 7-11

SSST

COMMENT ÇA VA, GARFIELD?
ÇA ALLAIT BIEN, JUSQU'À CE QUE JE TROUVE L'AMIDON EN VAPORISATEUR
© 1983 United Feature Syndicate, Inc.

S'IL TE PLAÎT, GARFIELD, VA CHERCHER LE JOURNAL
C'EST MON LOT

JIM DAVIS 7-12
VOICI TON JOURNAL, SAHIB
© 1983 United Feature Syndicate, Inc.

HÉ! CE JOURNAL EST TOUT MÂCHOUILLÉ
QUAND SAHIB DEMANDE AU POISSON, JOURNAL MOUILLÉ. QUAND SAHIB DEMANDE AU CHAT, JOURNAL TROUÉ

JIM DAVIS
7-13

HA HA
HA HA!
JE DÉTESTE
QUAND ILS
FONT ÇA
© 1983 United Feature Syndicate, Inc.

EAU
JIM DAVIS
7-14

SLUP
SLUP
SLUP
EAU
© 1983 United Feature Syndicate, Inc.

CARBURANT
À BAVE
EAU

AH... QUE C'EST GENTIL
7-15
JIM DAVIS

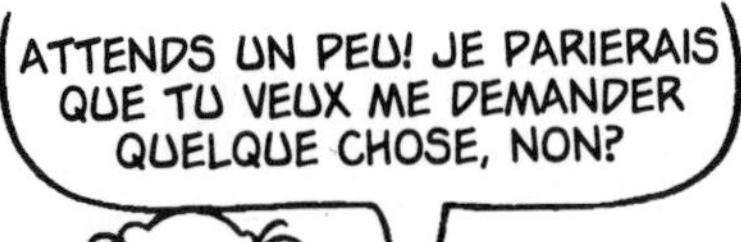
ATTENDS UN PEU! JE PARIERAIS QUE TU VEUX ME DEMANDER QUELQUE CHOSE, NON?

COMMENT OSES-TU INSINUER QUE JE DONNERAIS MON AFFECTION PAR PUR ÉGOÏSME! SI TU ME DONNES UN MORCEAU DE TON HAMBURGER, JE VEUX BIEN OUBLIER CE QUE TU VIENS DE DIRE

GARFIELD, JE SAIS QUE TU ES DANS MA FOUGÈRE, JE VOIS TA QUEUE

QU'AS-TU À DIRE POUR TA DÉFENSE?

OUAH?
JIM DAVIS
7-16

7-17
JIM DAVIS

JE SUIS SUR LE POINT DE ME SURPASSER

WHAP!
© 1983 United Feature Syndicate, Inc.

GARFIELD, JE SAIS QUE TU ES DANS MA FOUGÈRE, JE VOIS TA QUEUE

QU'AS-TU À DIRE POUR TA DÉFENSE?
© 1983 United Feature Syndicate, Inc.

PARDON, MONSIEUR, AURIEZ-VOUS VU UNE QUEUE PAR ICI?
JIM DAVIS
7-18

TU NE M'AIMES PAS, DIS?
JE T'AIME BIEN
JIM DAVIS

NON, TU NE M'AIMES PAS
JE SUIS FOU DE TOI, JE T'AIME
7-19

MAINTENANT, VA DONC JOUER DANS LE MIXEUR
TU VOIS?
© 1983 United Feature Syndicate, Inc.

POURQUOI TU NE M'AIMES PAS?
TU ES JEUNE ET MIGNON
JIM DAVIS
7-20

M'AIMERAIS-TU SI J'ÉTAIS VIEUX ET LAID?
POSSIBLE...

C'EST PROBABLEMENT UNE CHOSE QUE LES CHATS FONT QUAND ILS CROIENT QU'IL N'Y A PAS D'HUMAINS AUX ALENTOURS
OÙ EST MA CANNE? OÙ EST MA CANNE?
© 1983 United Feature Syndicate, Inc.

JE DÉTESTE FAIRE ÇA
7-21
JIM DAVIS

JE NE SAIS PAS COMMENT JE DESCENDRAI DE CET ARBRE

MAIS AU MOINS, JE SERAI LOIN DE NERMAL
© 1983 United Feature Syndicate, Inc.

QUE FAIS-TU ICI? SERAIS-TU VENU ME SAUVER?
JIM DAVIS
7-22

NON, SEULEMENT UNE PETITE VISITE

EH BIEN, PARLE VITE, JE SONGEAIS À FAIRE LE SAUT DE LA MORT
© 1983 United Feature Syndicate, Inc.

COMMENT DESCENDRE DE CET ARBRE?
EN SAUTANT
JIM DAVIS
7-23

SI CE PETIT CRÉTIN PEUT SAUTER, JE LE PEUX AUSSI

© 1983 United Feature Syndicate, Inc.

DÉBOUT ET MARCHE

C'EST L'HEURE DE TE LEVER

J'AI FAIM

CELA DEVRAIT LE RÉVEILLER

JIM DAVIS
7-24
© 1983 United Feature Syndicate, Inc.
JON DOIT VRAIMENT ÊTRE À BOUT

JE N'ALLAIS TOUT DE MÊME PAS LUI DONNER SATISFACTION

GARFIELD, JE SAIS QUE TU ES DANS MA FOUGÈRE, JE VOIS TA QUEUE

QU'AS-TU À DIRE POUR TA DÉFENSE?
© 1983 United Feature Syndicate, Inc.

PARLE PLUS FORT, LA FANFARE COUVRE TA VOIX
JIM DAVIS
7-25

JIM DAVIS
7-26

ÇA ALORS... EUH, MERCI, ODIE
CLUNK!

QU'EST-CE QUE C'EST, GARFIELD?
JE PARIE QUE ÇA AURAIT ÉTÉ PLUS FACILE À RECONNAÎTRE AVANT SON SÉJOUR DANS LE TRAFIC
© 1983 United Feature Syndicate, Inc.

VOICI ODIE. SES ABOIEMENTS SONT PIRES QUE SES MORSURES
OUAH! OUAH!

OUAH!

ET SON HALEINE EST PIRE QUE SES ABOIEMENTS
JIM DAVIS 7-27
© 1983 United Feature Syndicate, Inc.

JIM DAVIS
7-28

SPLAT!

LORSQU'IL EST BLESSÉ, LE SPAGHETTI PEUT SE VENGER
© 1983 United Feature Syndicate, Inc.

BON SANG! J'ADORE ASPIRER LE SPAGHETTI!
JIM DAVIS

ASPIRE!
7-29

OUPS! DÉSOLÉ
© 1983 United Feature Syndicate, Inc.

ASPIRE
JIM DAVIS
7-30

IL Y A UN SEUL PROBLÈME QUAND TU ASPIRES LE SPAGHETTI

LE COUP DE FOUET
© 1983 United Feature Syndicate, Inc.

J'AI UN RENDEZ-VOUS IMPORTANT AVEC LIZ CE SOIR. QUE PENSES-TU DE MON COSTUME?

MMMPF

HI
HI
HI
JIM DAVIS
7-31

JE NE PEUX PAS ACCEPTER ÇA
HA HA
HA HA!

AUCUN CHAT NE ME COUVRIRA DE RIDICULE
© 1983 United Feature Syndicate, Inc.

GARFIELD, JE SAIS QUE TU ES DANS MA FOUGÈRE, JE VOIS TA QUEUE

QU'AS-TU À DIRE POUR TA DÉFENSE?

SI TU VEUX SAVOIR, JE SUIS UNE FOUGÈRE CARNIVORE TRÈS RARE, ET SI ÇA NE TE DÉRANGE PAS, J'AIMERAIS FINIR DE DÉVORER TON CHAT EN PAIX
JIM DAVIS
8-1

JIM DAVIS
8-2

HA HA! TU N'AS PAS ATTRAPÉ MON GOÛTER CETTE FOIS-CI

SPLAT!

© 1983 United Feature Syndicate, Inc.

TU AS LU « ALICE AU PAYS DES MERVEILLES » UNE FOIS DE PLUS, NON?
TU DOIS ÊTRE VOYANT
8-3
JIM DAVIS

RRR
JIM DAVIS
8-4

RRRIIIIII

JE VEUX SAVOIR POURQUOI TU AS FAIT ÇA, GARFIELD!
C'EST PAS AUSSI INTÉRESSANT QUE DE SAVOIR COMMENT J'AI D'ABORD GRIMPÉ LÀ-HAUT
© 1983 United Feature Syndicate, Inc.

GARFIELD, JE VEUX QUE TU ME SORTES TOUTES LES SOURIS DE CETTE MAISON TOUT DE SUITE!
BON, BON
JIM DAVIS
8-5

SOIS GENTIL S'IL TE PLAÎT, APPELLE MON AVOCAT

DIS-LUI DE RÉDIGER SUR-LE-CHAMP UN AVIS D'ÉVICTION
© 1983 United Feature Syndicate, Inc.

JIM DAVIS
8-6

ARRRGH!!!
B-B-B-B!

LES CHATS SONT TELLEMENT IMPRÉVISIBLES
COMME ON POUVAIT LE PRÉVOIR
© 1983 United Feature Syndicate, Inc.

GARFIELD, POURQUOI NE MANGES-TU PAS LES SOURIS COMME LES AUTRES CHATS?
JE N'AIME PAS BLESSER LES SOURIS. QUE FAIRE POUR QUE ÇA TE RENTRE DANS LE CRÂNE?

Cher Jon, les souris et moi avons une entente. Elles ne m'embêtent pas et je ne les embête pas. Aussi ne toucherai-je jamais à une souris... GARFI.
TICK
TICK
TICK
JIM DAVIS
8-7

GARFI...
LA TOUCHE DOIT ÊTRE COINCÉE
TICK!
TICK!
TICK!

AAAWK!
WHAM
© 1983 United Feature Syndicate, Inc.

DÉSOLÉ, L'AMI

JIM DAVIS
8-8

OH, NON!

MES JAMBES RÉTRÉCISSENT!

J'AI VRAIMENT PASSÉ LA LIMITE, MON VENTRE DÉPASSE MES JAMBES
JIM DAVIS
8-9

JE SUPPOSE QU'IL NE ME RESTE QU'UNE CHOSE À FAIRE

ME HISSER SUR DES ÉCHASSES

♪ HUMMM ♫
JIM DAVIS
8-10

OH, NON!

TU SAIS QUE TU ES OBÈSE QUAND TU TE BERCES ET QUE TU RÉALISES QUE TU N'AS PAS DE CHAISE BERÇANTE
© 1983 United Feature Syndicate, Inc.

GARFIELD, TU DEVIENS DANGEREUSEMENT OBÈSE
EAU
8-11
JIM DAVIS

QUEL DANGER PEUT REPRÉSENTER UN PETIT SURPLUS DE GRAS?
EAU

QUI, GLOU, AURAIT, GLOU, PU, GLOU, DEVINER?
EAU
© 1983 United Feature Syndicate, Inc.

NE T'INQUIÈTE PAS DE TON ÉTAT, GARFIELD
JIM DAVIS
8-12

TU PEUX ENCORE AVOIR UNE VIE ACTIVE ET PRODUCTIVE

COMME PRESSE-PAPIERS OU BUTOIR DE PORTE, A...
METS TA FACE PLUS PRÈS DE CES GRIFFES
© 1983 United Feature Syndicate, Inc.

ZUT! C'EST LE CHIEN D'À CÔTÉ
JIM DAVIS
8-13

VOUS AVEZ DÉJÀ EU UNE ATTAQUE DE CAUCHEMAR?

© 1983 United Feature Syndicate, Inc.

LA LA, MARGUERITE RITE, VEUX-TU UN PEU DE LOLO?
OH BON SANG DE BON SANG
© 1983 United Feature Syndicate, Inc.

GARFIELD, SAVAIS-TU QUE SI TU LEUR PARLES GENTIMENT, LES PLANTES POUSSENT MIEUX?
TU M'EN DIRAS TANT
8-14
JIM DAVIS

CRÈVE!

J'APPRENDS TOUT LE TEMPS

JIM DAVIS 8-15

RIIIP!

© 1983 United Feature Syndicate, Inc.
LA CRUAUTÉ EST UNE SECONDE NATURE CHEZ CE CHAT

JIM DAVIS 8-16

AU RÉGIME
ZUT
© 1983 United Feature Syndicate, Inc.

JOYEUX RÉGIME, GARFIELD. VOICI UNE BANANE POUR PETIT-DÉJEUNER
8-17
JIM DAVIS

BANG!
© 1983 United Feature Syndicate, Inc.

PUISQUE TU ES AU RÉGIME, GARFIELD, POURQUOI NE PAS T'ENTRAÎNER UN PEU AUSSI?
JIM DAVIS
8-18

BIEN SÛR... POURQUOI PAS?

PUISQUE TU ES SUR LE PONT, POURQUOI NE PAS TE JETER À L'EAU
© 1983 United Feature Syndicate, Inc.

FIDÈLE À TON RÉGIME, GARFIELD?
YÉ
JIM DAVIS
© 1983 United Feature Syndicate, Inc.
8-19

FOMP

IL EST VRAI QUE J'AI MANGÉ LES IMAGES DE TON LIVRE DE RECETTES

TU AS L'AIR SVELTE COMME ÇA, GARFIELD
MERCI
JIM DAVIS
8-20

JE N'AI PAS PU TROUVER DE CORSET

ALORS J'AI EMPRUNTÉ L'UNE DES CHAUSSETTES ÉLASTIQUES DE JON
© 1983 United Feature Syndicate, Inc.

JIM DAVIS 8-21

© 1983 United Feature Syndicate, Inc.

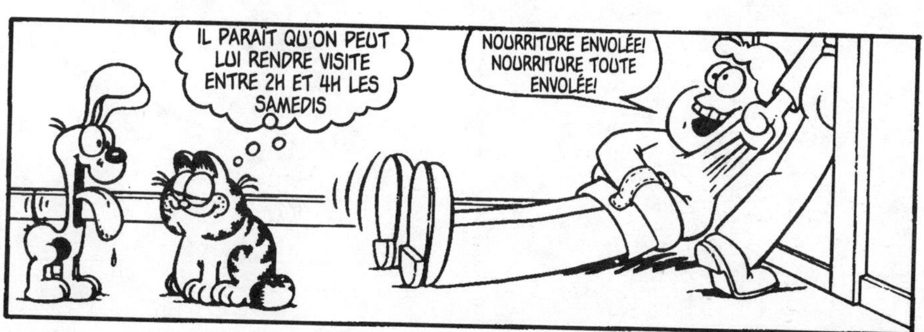
IL PARAÎT QU'ON PEUT LUI RENDRE VISITE ENTRE 2H ET 4H LES SAMEDIS
NOURRITURE ENVOLÉE! NOURRITURE TOUTE ENVOLÉE!

IMPOSSIBLE DE MANGER TOUTES CES VICTUAILLES. C'EST L'HEURE D'UN... COMBAT DE VICTUAILLES!
8-22

SPLUT!
JIM DAVIS

NE TE MÊLE PAS DE ÇA, LUNDI!
© 1983 United Feature Syndicate, Inc.

SALUT LES AMIS. ÇA VA? JE SUIS GARFIELD LE CHAT. JE VAIS VOUS DIVERTIR
JIM DAVIS
© 1983 United Feature Syndicate, Inc.

SPLAT!
8-23

NE TE MÊLE PAS DE ÇA, MAMAN

J'AI VOLÉ DE PITTSBURGH JUSQU'ICI, ET FLÛTE, CE QUE MES BRAS SONT FATIGUÉS
© 1983 United Feature Syndicate, Inc.

8·24

LE GARS ENRAGÉ DOIT DORMIR
JIM DAVIS

IL FAUT QUE JE CHANTE! IL FAUT QUE JE DANSE!
JIM DAVIS
8-25
© 1983 United Feature Syndicate, Inc.

BAP!
BOP!
BIFF!

IL FAUT QUE JE SOIS DINGUE

PARFAIT, JON N'EST PAS AUX ALENTOURS
JIM DAVIS
8-26

JON BRIME MON STYLE DE VIE

REMETS LE CHIEN PAR TERRE
IL N'EST PAS DRÔLE
© 1983 United Feature Syndicate, Inc.

JIM DAVIS
8-27

ZIP!

© 1983 United Feature Syndicate, Inc.

JE SAIS PAS COMMENT ON FAIT ÇA MAIS ON FAIT ÇA

SPLUT
GARFI

PLIK
© 1983 United Feature Syndicate, Inc.

BAT

SCRATCH
JIM DAVIS

DRIP
EAU
8-28

TU T'ENNUIES, GARFIELD?
IL Y A DES JOURS OÙ JE SUIS FATIGUÉ D'ÊTRE UN CHAT
EAU

JIM DAVIS
8-29

CE N'ÉTAIT PAS TRÈS GENTIL, GARFIELD
DANS CE MÉTIER, ÊTRE « GENTIL » ÇA NE RAPPORTE PAS
© 1983 United Feature Syndicate, Inc.

POURQUOI SUIS-JE FOU DE TOI, GARFIELD?
PROBABLEMENT PARCE QUE JE SUIS PARFAIT

TU GRIFFES LES RIDEAUX, TU ÉRAFLES LES MEUBLES, TU DÉROBES MA NOURRITURE ET TU HARCÈLES LE CHIEN

© 1983 United Feature Syndicate, Inc.
JIM DAVIS
8-30
PERSONNE N'EST PARFAIT

GARFIELD VA AVOIR UNE GROSSE SURPRISE. J'AI INSTALLÉ UNE ALARME DANS LE FRIGO
JIM DAVIS

C'EST LA PREMIÈRE RÈGLE POUR VIVRE EN HARMONIE AVEC UN CHAT
8-31

VOUS DEVEZ ÊTRE PLUS BRILLANT QUE LUI
© 1983 United Feature Syndicate, Inc.

SI TU AVAIS LE CHOIX, GARFIELD, PRÉFÉRERAIS-TU ÊTRE RICHE OU CÉLÈBRE?
JIM DAVIS 9-1
© 1983 United Feature Syndicate, Inc.

TU PARLES À UN CHAT, L'AMI. TOUT CE DONT J'AI BESOIN, C'EST D'UNE CUISSE ACCUEILLANTE, DE BONNE NOURRITURE ET D'UN PEU D'ATTENTION

J'IMAGINE QU'UN CHAT N'A RIEN À FAIRE DE L'UN COMME DE L'AUTRE
JE PRÉFÉRERAIS ÊTRE RICHE

JIM DAVIS
9-2

UN DERNIER MOT, GARFIELD?
ET POURQUOI PAS « JE T'AI EU »?

VOICI UNE SALADE ET DE LA SAUCE À SALADE, GARFIELD. TU PEUX LES MÉLANGER À TON GOÛT
JIM DAVIS
9-3

GLOU
GLOU
GLOU

ALORS?
J'AURAIS PAS PU EN METTRE PLUS

C'EST LE TEMPS QUE VOUS APPRENIEZ OÙ SE TROUVE LA SORTIE EN CAS DE FEU, LES GARS

EN CAS DE FEU, ALLEZ TOUT DROIT À LA CHATIÈRE, D'ACCORD?

JE FERAIS MIEUX DE LEUR FAIRE FAIRE UN ESSAI
JIM DAVIS
9-4

AU FEU!

C'ÉTAIT MALIN

JON DOIT ÊTRE EN TRAIN DE NETTOYER LE SYSTÈME DE CHAUFFAGE
JIM DAVIS
9-5

OUPS!

MANIFESTEMENT, C'EST FAIT POUR EMPÊCHER LA MAISON DE MANGER LE CHAT DU PROPRIÉTAIRE

PAUVRE IDIOT, IL FALLAIT QUE JE TOMBE DANS LE CONDUIT DE VENTILATION. ME VOICI PROFONDÉMENT ENFONCÉ DANS LES ENTRAILLES DE LA MAISON

JIM DAVIS 9-6

CONDAMNÉ À PASSER LE RESTE DE MES JOURS À ME DÉBROUILLER DANS LES TUNNELS DE TÔLE DU MONDE DES CONDUITS, DANS LA JUNGLE SOLÉNOÏDALE DU SYSTÈME ÉLECTRIQUE ET DANS LE POLYVINYLE CHLORIQUE DE L'ESPACE SANITAIRE RÉCRÉATIF

HÉ! JE CROIS QU'IL Y A UN LIVRE QUELQUE PART PAR ICI

JIM DAVIS
MIAOU!
9-7

GARFIELD! OÙ ES-TU?
DANS LA TUYAUTERIE

© 1983 United Feature Syndicate, Inc.
QUE FAIRE?
SURTOUT, NE TIRE PAS LA CHASSE D'EAU

HÉ, ODIE! JE SUIS PRIS DANS LE CONDUIT DE VENTILATION. FAIS QUELQUE CHOSE!
JIM DAVIS
9-8

UNE SCIE À MÉTAUX, GÉNIAL!

© 1983 United Feature Syndicate, Inc.

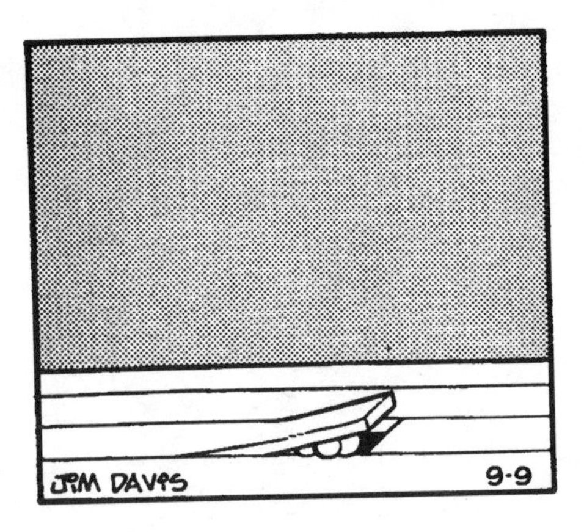
JIM DAVIS
9-9

UNNNGH

GARFIELD... OÙ ES-TU?
ICI SOUS LES PLANCHES, COMPLOTANT TA DISPARITION PRÉMATURÉE

ENFIN LIBRE!
JIM DAVIS

IL FAUT DIRE UNE CHOSE À PROPOS DE LA FORCE BRUTE
9-10

ELLE EST GÉNÉRALEMENT SUIVIE DE STUPIDITÉ BRUTE

OUAH!

GRRRR

SLURP!
JIM DAVIS
9-11

Z

ZIP!

TU PEUX ME GROGNER À LA FIGURE, TU PEUX ME LÉCHER LA TÊTE, MAIS SI TU TOUCHES À MA NOURRITURE, CONSIDÈRE-TOI COMME MORT
GARFIELD

OUH! IL NE RESTE PLUS BEAUCOUP DE PLACE
JIM DAVIS 9-12

IL FAUDRA QUE JE CHOISISSE ENTRE LES BLEUETS OU LE FROMAGE POUR DESSERT

ON DIT QUE LES BLEUETS SONT SUCCULENTS À CE TEMPS-CI DE L'ANNÉE

COMMENT ÇA SE FAIT QUE JE N'AI JAMAIS VU DE NOURRITURE PARLANTE AVANT?
PARCE QUE TU ES AUSSI STUPIDE QUE TU EN AS L'AIR
JIM DAVIS
9-13

OH, OUAIS?
TOUCHÉ

JE NE PEUX PAS CROIRE QUE JE PARLE À UN FROMAGE
MOI NON PLUS
© 1983 United Feature Syndicate, Inc.

9-14
JIM DAVIS
J'AIMERAIS ÊTRE UN CHAT PLUTÔT QU'UNE SOURIS

N'AIE JAMAIS HONTE DE CE QUE TU ES. NOUS DEVONS TOUS ACCEPTER NOTRE SITUATION DANS LA VIE ET EN TIRER LE MEILLEUR PARTI

TU N'ES PAS À L'EXTRÉMITÉ CRITIQUE DE LA CHAÎNE ALIMENTAIRE
C'EST UN BON POINT
© 1983 United Feature Syndicate, Inc.

JIM DAVIS
9-15
J'AI QUELQUE CHOSE À TE CONFIER

MA MÈRE ÉTAIT UN LEMMING
C'EST QUOI UN LEMMING?

UNE GERBILLE AVEC DES TENDANCES SUICIDAIRES
MES CONDOLÉANCES

ALORS TU ES À MOITIÉ LEMMING?
OUI, MA MÈRE AVAIT TOUJOURS ENVIE DE SE JETER DANS LA MER DU HAUT D'UNE FALAISE
JIM DAVIS

AAK!
9-16

SACRÉE MAMAN
© 1983 United Feature Syndicate, Inc.

QUE FAIS-TU POUR L'AMOUR?
JIM DAVIS
9-17

JE SUIS À MOITIÉ LEMMING, TU SAIS
ALORS?

JE RENOUE AVEC MES RACINES
FALLAIT QUE JE SACHE
© 1983 United Feature Syndicate, Inc.

SI TU MANGES CETTE TARTE, JE TE TUE

© 1983 United Feature Syndicate, Inc.

GARFIELD! TU AS MANGÉ MA TARTE!
JIM DAVIS
9-18

JE NE SUIS PAS L'UN DES GRANDS CERVEAUX CRIMINELS DE NOTRE TEMPS

JIM DAVIS
9-19

ZUT
© 1983 United Feature Syndicate, Inc.

J'AI ÉPUISÉ L'ÉNERGIE DONT J'AI BESOIN POUR MANGER EN ME RENDANT JUSQU'ICI

J'EN AI ASSEZ DE NE PAS ÊTRE EN FORME
JIM DAVIS
9-20

JE NE PEUX PAS ATTRAPER ODIE. JE NE PEUX PAS REPRENDRE MON SOUFFLE

FICHTRE, JE NE PEUX MÊME PAS ATTEINDRE MON LUNCH
© 1983 United Feature Syndicate, Inc.

JE NE M'AIME VRAIMENT PAS QUAND JE NE SUIS PAS EN FORME ET JE SUIS TROP GROS
JIM DAVIS 9-21

EH BIEN CETTE FOIS-CI, JE FAIS QUELQUE CHOSE POUR ARRANGER ÇA!

JE DIMINUE MES ATTENTES!
© 1983 United Feature Syndicate, Inc.

ALLONS, JON! DEBOUT ET QUE ÇA SAUTE
JIM DAVIS
9-22

IL Y A UNE BELLE JOURNÉE TOUTE NEUVE DEHORS. TU M'ACCOMPAGNES OU TU RESTES COUCHÉ ET TU T'ATROPHIES?

IL N'Y A RIEN DE PIRE QU'UN COUREUR NOUVELLEMENT CONVERTI
© 1983 United Feature Syndicate, Inc.

HOP
HOP
HOP
JIM DAVIS
9-23

HOP

DES JAMBIÈRES

À VOS MARQUES, PRÊTS...
JIM DAVIS
9-24

COUREZ!

L'ESPRIT EST VOLONTAIRE, MAIS LA CHAIR EST FAIBLE

CE TROTTOIR EST
DÉJÀ BRÛLANT
© 1983 United Feature Syndicate, Inc.

OUILLE!
AÏE!
OUILLE!

OOG!
ARGG!
ICK!
JIM DAVIS
9-25

GARFIELD!
QUE FAIS-TU SUR
CE TROTTOIR
BRÛLANT?

POURQUOI NE
RENTRONS-NOUS
PAS?

ET
DÉCEVOIR MON
PUBLIC?
CLINK

JE NE SUIS PAS DU GENRE À VANTER MON OURSON, MAIS VOUS N'EN CROIREZ PAS VOS YEUX
JIM DAVIS

OK, POOKY, ATTENTION, ES-TU PRÊT?
© 1983 United Feature Syndicate, Inc.
9-26

FAIS LE MORT!

JE SUIS TROP VIEUX POUR AVOIR UN OURSON
9-27
JIM DAVIS

CE N'EST PAS QUE JE ME SENTE IDIOT...

C'EST LA PRESSION DE L'ENTOURAGE
© 1983 United Feature Syndicate, Inc.

POOKY, IL FAUT QUE JE COMMENCE À ME SEVRER DE TOI. IL FAUT QUE J'Y ARRIVE PAR MOI-MÊME
JIM DAVIS
9-28

ÇA SUFFIT POUR LA PREMIÈRE SEMAINE
© 1983 United Feature Syndicate, Inc.

IL FAUT QUE JE ME DÉFASSE DE CETTE DÉPENDANCE À MON OURSON
JIM DAVIS
9-29

© 1983 United Feature Syndicate, Inc.

JE ME SUIS PASSÉ DE MON OURSON TOUTE LA JOURNÉE, MAIS SI JE NE FAIS PAS UN CÂLIN À QUELQUE CHOSE, JE VAIS DEVENIR FOU
© 1983 United Feature Syndicate, Inc.

JIM DAVIS 9-30
CETTE CHAUSSETTE NE FAIT PAS VRAIMENT L'AFFAIRE

POOKY!
JIM DAVIS
10-1

SUFFIT LES EFFORTS POUR CONTRER MA DÉPENDANCE

C'EST CONTRE NATURE D'ÊTRE PRÈS DE QUELQU'UN QUE TU AIMES ET DE NE PAS LUI FAIRE DES CÂLINS DE TEMPS À AUTRE
© 1983 United Feature Syndicate, Inc.

J'AI FINALEMENT TROUVÉ LA PIERRE PAR EXCELLENCE! LE POIDS PARFAIT, PARFAITEMENT RONDE ET PLATE, IMPEC!

MAIS IL N'Y A PAS DE LAC AUX ALENTOURS, ET NOUS SOMMES TROP LOIN DE LA RIVIÈRE

BON SANG! J'AI LÀ UNE PIERRE QUI ME PRIE DE LA FAIRE RICOCHER ET JE N'AI PAS DE PLACE POUR M'EXÉCUTER!
JIM DAVIS
10-2

♪
EAU

KONG!
EAU

REGARDE COMME LA PIERRE RICHOCHE BIEN!
© 1983 United Feature Syndicate, Inc.

JE DÉTESTE ÇA QUAND ODIE SE FAIT PRENDRE PAR LA PLUIE

PAS QUE JE M'INQUIÈTE TELLEMENT POUR ODIE, VOUS PENSEZ BIEN

JIM DAVIS 10-3
© 1983 United Feature Syndicate, Inc.

JIM DAVIS
10-4

VOICI L'UN DES GRANDS MYSTÈRES DE L'UNIVERS...

QUAND ODIE FERME SA GUEULE, OÙ PEUT BIEN ALLER SA LANGUE?
© 1983 United Feature Syndicate, Inc.

JE VOULAIS T'ACHETER UN AUTRE LIT, GARFIELD, MAIS ILS SONT DISPONIBLES EN PETIT, MOYEN ET GRAND SEULEMENT
GARFIELD
10-5
JIM DAVIS

ILS N'ONT PAS LE FORMAT PÉNICHE!
GARFIELD

UNE PROMPTE REPARTIE EST ENCORE MEILLEURE SUIVIE DE PROMPTS RÉFLEXES
© 1983 United Feature Syndicate, Inc.

J'AIME UN REPAS BIEN ÉQUILIBRÉ
JIM DAVIS
10-6

COMPRENANT LES QUATRE CATÉGORIES ALIMENTAIRES DE BASE...

VIANDE, LÉGUMES, PRODUITS LAITIERS ET KETCHUP
© 1983 United Feature Syndicate, Inc.

À CET INSTANT PRÉCIS, GARFIELD DEVRAIT TROUVER UNE SAUCISSE EN CAOUTCHOUC DANS SON BOL
JIM DAVIS
10-7

ET IL DEVRAIT VENIR VERS MOI À CET INSTANT...

PRÉCIS

JE CROIS QUE JE VAIS MANGER DES CRÊPES POUR DÉJEUNER
Crêpes

Crêpes
JIM DAVIS
10-8

UNE FOIS DE PLUS, L'ÉLÉMENT CRIMINEL DE NOTRE NATION A CYNIQUEMENT FAIT FI DES LOIS DE L'EMBALLAGE
Crêpes

J'AIMERAIS ME DÉBARRASSER DE CETTE DÉPRESSION DE DIMENSION INDUSTRIELLE QUI M'ACCABLE AUJOURD'HUI

JIM DAVIS
10-9

DAME NATURE, SI TU AVAIS UN CORPS ET UN VISAGE, JE T'ÉTREINDRAIS ET TE FERAIS LA BISE
© 1983 United Feature Syndicate, Inc.

VOICI ARLÈNE, ELLE EST FOLLE DE MOI
JIM DAVIS
10-10

SALUT, ARLÈNE

J'AI DIT SALUT, ARLÈNE
© 1983 United Feature Syndicate, Inc.

HÉ, ARLÈNE, DEVINE QUEL POIDS JE PEUX LEVER
JIM DAVIS
10-11

JE PARIE QUE TU N'AS PAS IDÉE
JE PARIE QUE JE M'EN FOUS

EN CE MOMENT, J'ÉCHANGERAIS TOUTE CETTE FORCE CONTRE UNE RÉPLIQUE CUISANTE
© 1983 United Feature Syndicate, Inc.

HÉ, ARLÈNE, REGARDE UN PEU
ET ALORS?
JIM DAVIS
10-12

QU'EST-CE QUE ÇA PREND POUR VOUS IMPRESSIONNER, MADAME?
QUE TU ME CHAVIRES LA TÊTE AUTANT QUE LE CŒUR

DÈS QU'ELLE REPREND CONSCIENCE, JE LUI CHAVIRE LE CŒUR
© 1983 United Feature Syndicate, Inc.

C'EST L'HEURE DE MON GOÛTER, ARLÈNE, MAIS NE DÉSESPÈRE PAS, JE REVIENS TOUT DE SUITE
LES SECONDES AURONT L'AIR D'ANNÉES JUSQU'À TON RETOUR
JIM DAVIS
10-13
© 1983 United Feature Syndicate, Inc.

JE NE SAIS PAS COMMENT ELLE FAIT ÇA...

COMMENT UNE SEULE PHRASE BIEN TOURNÉE DE CETTE FEMME PEUT FAIRE TOMBER TOUT LE VENT QUE VOUS AVEZ DANS LES VOILES

ARLÈNE, J'EN AI ASSEZ DE LA TOURNURE D'ESPRIT QUI T'ANIME EN CE MOMENT
JIM DAVIS
10-14

OK, JE VAIS ARRÊTER
IL N'Y A AUCUNE JOUTE INTELLECTUELLE ICI DE TOUTE FAÇON

TU AS RAISON, C'ÉTAIT COMME ÉCRASER UNE MOUCHE AVEC UN CHAR D'ASSAUT
© 1983 United Feature Syndicate, Inc.

QUE DIRAIS-TU D'UN BAISER, ARLÈNE?
QUEL GENRE D'ANIMAL ES-TU?
JIM DAVIS
10-15
© 1983 United Feature Syndicate, Inc.

UN CHAT!

AUUGH!
J'AI RÉUSSI! J'AI RÉUSSI! ELLE A DIT « QUEL GENRE D'ANIMAL ES-TU? » ET J'AI DIT « UN CHAT! »

TU ES TROP HEUREUX ET CE N'EST PAS BON POUR LA SANTÉ
10-16

LES GENS NE FONT PAS CONFIANCE À UNE PERSONNE CHRONIQUEMENT HEUREUSE
© 1983 United Feature Syndicate, Inc.

ODIE, TOUT CE QUE TU SAIS FAIRE, C'EST FIXER ET BAVER

QUI POURRA JAMAIS AIMER UN IDIOT AU SOURIRE BÉAT COMME TOI?

TE MÊLE PAS DE ÇA!

BON SANG, JE SUIS DÉPRIMÉ AUJOURD'HUI
JIM DAVIS
10-17

TU AS L'AIR DÉPRIMÉ AUJOURD'HUI, GARFIELD, MAIS JE CROIS QUE JE LE SUIS ENCORE PLUS QUE TOI

JE DÉTESTE LA DÉPRIME DE L'HOMME
© 1983 United Feature Syndicate, Inc.

JE SUIS DÉPRIMÉ, DÉPRIMÉ, DÉPRIMÉ
JIM DAVIS
10-18

DÉPRIMÉ, DÉPRIMÉ, DÉDÉDÉ DÉ PRI MÉ

DÉ DÉDÉDÉDÉ DÉDÉDÉDÉ DÉDÉDÉ DÉPRIMÉ
© 1983 United Feature Syndicate, Inc.

JE SUIS SI DÉPRIMÉ, C'EST DÉPRIMANT
TU M'EN DIRAS TANT
JIM DAVIS
10-19

JE CROIS QUE JE VAIS SORTIR ET ME FUSILLER
BIEN SÛR

TU ESSAIES SEULEMENT DE ME REMONTER LE MORAL
© 1983 United Feature Syndicate, Inc.

POURQUOI SOMMES-NOUS SI DÉPRIMÉS, GARFIELD?
J'AI UNE THÉORIE
JIM DAVIS
10-20

NOUS NOUS COUCHONS TROP TARD DEPUIS QUELQUE TEMPS

ET ÊTRE HEUREUX EXIGE VRAIMENT TROP D'ÉNERGIE
© 1983 United Feature Syndicate, Inc.

IL FAUT FAIRE QUELQUE CHOSE À PROPOS DE CETTE DÉPRESSION, GARFIELD
OUAIS
JIM DAVIS
10-21

PEUT-ÊTRE QU'UN CHANGEMENT D'ENVIRONNEMENT NOUS FERAIT DU BIEN
OUAIS

C'EST SANS EFFET
OUAIS

IL N'Y A QU'UNE ISSUE À CETTE DÉPRIME DANS LAQUELLE NOUS NOUS ENLISONS, GARFIELD. JE DÉTESTE FAIRE ÇA, MAIS IL FAUT CE QU'IL FAUT
J'ESPÈRE QUE ÇA MARCHE
JIM DAVIS
10-22

OUILLE! AÏE!

VOILÀ!
BRAVO!